Dieses Buch gehört:

_____

_____

INHALT:

Illustrationen:
Martina Reichert-Golde

Texte:
Andreas Korpás

HERR FUCHS UND FRAU ELSTER

GESCHICHTEN
AUS DEM MÄRCHENWALD

Herr Fuchs ist in bester Laune. Fröhlich tänzelt er durch seinen Fuchsbau hinaus in den Garten und singt dabei: „Der Fuchs geht durch den Wald, ..." Denn heute ist ein Sonntag im Mai, die Sonne steht hoch am Himmel, die Luft ist klar und frisch. Dazu duften die vielen bunten Veilchen auf der Wiese herrlich.

Herr Fuchs hat Frau Elster zum Teetrinken eingeladen, um endlich mal wieder mit ihr zu plaudern. Es macht ihm großen Spaß, sein Elsterchen dabei immer wieder zu necken. Und sieh an, da kommt sie auch schon in den Garten stolziert.

„Sie haben aber einen schönen Sommerhut!", meint Herr Fuchs bewundernd.

„Und Sie haben ein sehr schickes Halstuch", erwidert Frau Elster geschmeichelt.

Neugierig sieht sie sich im Garten um, in dem der Frühling bereits viele Blüten und frische grüne Blätter hervorgezaubert hat. „Wie gut Ihre Blümchen riechen!", stellt sie verzückt fest. „Da kann man ja richtig neidisch werden." Und als sie sich weiter umsieht, fällt Frau Elster noch etwas auf: „Herr Fuchs, Sie haben ja schon alles vorbereitet!", ruft sie begeistert. „Da brauche ich ja gar nichts

mehr zu tun und kann es mir vor dem Tee noch ein wenig auf der Wiese gemütlich machen."

„Ja, Elsterchen, ein Weilchen wird es schon noch dauern, bis das Wasser kocht", erwidert Herr Fuchs.

Frau Elster macht es sich bequem und zieht dabei ihren Sommerhut tief ins Gesicht, sodass ihr die Sonnenstrahlen nicht in die Augen fallen. Es dauert gar nicht lange, da ist sie auch schon eingeschlafen. Herr Fuchs hört ihr wiederkehrendes „Pff", „Pff", „Pff". „Hä, hä! Frau Elster schläft schon wieder. Typisch!", lacht er leise, damit sie nicht aufwacht. Jetzt kocht das Wasser und Herr Fuchs übergießt den frischen Kamillentee, um ihn dann ein paar Minuten ziehen zu lassen. Als er die dampfende Kanne nach draußen trägt, ist er sehr vorsichtig, denn ein kleiner Spritzer des heißen Getränks könnte ihm seinen wunderschönen roten Pelz verbrühen. Dann holt er die neuen Gläser mit Griff. Frau Elster hatte sich beim letzten Mal beschwert, dass der Tee so heiß sei und man das Glas nicht richtig halten könne. Das kann mit den neuen Gläsern nicht mehr passieren! Er stellt sie neben die Kanne, sodass es leise klirrt. Just in diesem Moment wacht Frau Elster auf.

„Na, gut geschlafen, Elsterchen?", fragt Herr Fuchs höflich.

„Aber nein, gar nicht. Sie sind viel zu laut. Wie soll man bei so viel Getöse schlafen?"

„Ach Elsterchen, ich habe da so ein Geräusch gehört. Das klang beinahe wie das Schnarchen einer Elster, hä, hä."

„Nein, Herr Fuchs, das ist ja unerhört!", schimpft Frau Elster empört.

„Aber sehen Sie, wie schön ich den Tisch für uns gedeckt habe", lenkt Herr Fuchs ein.

„Ja wirklich, da möchte man sich am liebsten gleich hinsetzen", meint Frau Elster freudig überrascht. Aber irgendetwas stimmt noch nicht. Schnell kommt sie darauf: „Herr Fuchs, es fehlen ja noch die Stühle!"

„Die Stühle?", wiederholt Herr Fuchs und sieht sich um. „Frau Elster, Sie haben recht! Kreuzspinne und Kreuzschnabel! Wie konnte das denn passieren?"

Doch als er zwei Stühle holen will, sagt Frau Elster: „Warten Sie, Herr Fuchs, so warten Sie noch einen Moment. Denken Sie nicht, wir können im Stehen genauso gut plaudern?"

„Ja, warum eigentlich nicht?", antwortet Herr Fuchs. Und so trinken Herr Fuchs und Frau Elster ihren Tee heute ausnahmsweise im Stehen. Frau Elster redet ununterbrochen, denn sie hat in den letzten Tagen viel erlebt. Herr Fuchs hört zu und fragt manchmal nach. Und dass sie dabei stehen, stört die beiden überhaupt nicht.

„Welch ein besonderer Tag!", freut sich Herr Fuchs, denn heute ist sein Geburtstag. Er hat den Raben Meister Schwarzrock, Mauz und Hoppel, das Eichhörnchen Putzi, den weisen Onkel Uhu und natürlich Frau Elster eingeladen. Am Vormittag putzt er gründlich seinen Bau. Aus jeder Ecke holt er noch etwas Schmutz und vom Regal wischt er eine dicke Staubschicht. Dann nimmt er einen großen Eimer, füllt ihn mit warmem Wasser und beginnt, die Wohnstube zu wischen. Zu guter Letzt legt er eine hübsche Decke auf den Tisch und staunt, wie wohnlich sein Bau aussieht. Nun hat er sich ein Nickerchen verdient. So macht es sich Herr Fuchs auf seinem gemütlichen Schlafsofa bequem und schon bald ist aus dem Fuchsbau lautes Schnarchen zu hören. Doch plötzlich, Herr Fuchs steckt mitten in einem Traum, läutet es. „Nanu, wer kann das denn sein?", wundert er sich ganz verschlafen und öffnet die Tür. „Frau Elster, was machen Sie denn schon hier?", ruft er überrascht. In einer Hand hält sie ein großes Geschenkpaket und in der anderen eine Blume. „Herzlichen Glückwunsch, mein Lieber! So nehmen Sie mir doch das Paket ab!", erwidert sie. Herr Fuchs steht wie angewurzelt da und strahlt über das ganze Gesicht, denn er bekommt nicht oft Geschenke, schon gar nicht von Frau Elster.

„Danke, Elsterchen", freut er sich, „das ist ja ganz fabelhaft!"

„Herr Fuchs, wollen Sie das Geschenk denn nicht auspacken?"

„Nein, noch nicht", antwortet Herr Fuchs.

„Aber warum denn nicht?", wundert sich Frau Elster.

„Ich warte, bis die anderen Gäste da sind", gibt er zur Antwort. Aber natürlich ist Herr Fuchs trotzdem neugierig und besieht das Paket von allen Seiten. Doch kein einziges noch so winziges Loch ist zu sehen. Da fällt Frau Elster etwas auf: „Aber Herr Fuchs! Sie haben ja den Tisch noch gar nicht gedeckt. Was machen Sie, wenn Ihre Gäste kommen?"

„Hassassas, Elsterchen. Daran habe ich noch gar nicht gedacht!", ruft Herr Fuchs ganz erschrocken.

„Ich helfe Ihnen rasch beim Tischdecken!", meint sie freundlich. Herr Fuchs ist erleichtert, denn er weiß, dass Frau Elster eine gute Gastgeberin ist. Gemeinsam sind sie in weniger als zehn Minuten fertig und jetzt sieht es nach einem richtigen Geburtstagstisch aus. Herr Fuchs schaut auf die Uhr. Es ist Punkt drei, als sie die letzte Serviette zurechtrücken. Aber noch läutet kein Gast die Türglocke. Herr Fuchs wundert sich etwas, doch in diesem Moment ist ein lautes Klopfen zu hören. Vor der Tür steht der Rabe Meister Schwarzrock. Kurz darauf kommen Mauz und Hoppel, Putzi und Onkel Uhu und gratulieren Herrn Fuchs herzlich zu seinem Ehrentag.

Die Gäste nehmen am Geburtstagstisch Platz und beginnen, sich zu unterhalten. Da sie vor leeren Tellern sitzen, glauben alle, dass Herr Fuchs gleich mit dem Kuchen durch die Küchentür kommt. Aber Herr Fuchs unterhält sich prächtig mit Frau Elster, bis die ihn leise fragt: „Mein lieber Herr Fuchs, wo ist denn der Geburtstagskuchen?" Da schaut er sie mit großen Augen an: „Ach jaa, deer Geebuurtstaagskuuchen ...", meint er zögerlich. Den hat er völlig vergessen! Da flüstert ihm Frau Elster etwas ins Ohr. Herr Fuchs folgt ihr in die Küche.

„So machen Sie schon", drängt die Elster, „schneiden Sie mein Geschenk auf!"

Herr Fuchs macht, was sie ihm sagt. Zum Vorschein kommt eine große, köstlich aussehende und wunderbar duftende Schokoladentorte. Herr Fuchs ist begeistert. „Hassassas! Elsterchen! Genau das richtige Geschenk!", ruft er vergnügt. Schnell schneidet er die Torte in gleich große Stücke.

Als die Gäste die leckere Schokoladentorte sehen, sind sie sehr erleichtert. Insgeheim hatten sie schon befürchtet, dass Herr Fuchs den Geburtstagskuchen vergessen haben könnte. Sie loben die Torte und Herrn Fuchs für seinen guten Geschmack. Frau Elster aber steht hinter dem Geburtstagskind und lächelt zufrieden.

Es ist Sonntag und Frau Elster besucht ihren Freund, Herrn Fuchs. Sie hat ihren rosafarbenen Lieblingsschirm mitgenommen. „Aber Herr Fuchs, was machen Sie denn da?", wundert sie sich. „Wieso gießen Sie denn Blumen? Wissen Sie nicht, dass es heute regnen wird?"

Herr Fuchs ist empört: „Was Sie wieder reden, Frau Elster! Schauen Sie doch zum Himmel! Nicht eine Wolke. Wo soll da der Regen herkommen? Hassassas!" Damit gießt er weiter seine Blumen.

Frau Elster sieht eine Weile zu. „Aber Herr Fuchs, warum wollen Sie mir nicht glauben? Ich lese jeden Tag den Wetterbericht und da steht, dass es heute regnen wird", meint sie schließlich etwas beleidigt. Doch Herr Fuchs lässt sich nicht aus der Ruhe bringen. Eine Blume nach der anderen gießt er mit seiner großen blauen Gießkanne. Sogar etwas Dünger hat er in das Wasser getan, damit es seinen kleinen Lieblingen gut geht.

Aber Frau Elster wäre nicht Frau Elster, wenn sie einfach nachgeben würde. „Jetzt hören Sie doch mit dem Unsinn auf!", meint sie wieder.

„Hach, diese Person! Immer weiß sie alles besser", murmelt

Herr Fuchs verärgert. Doch siehe da: Tatsächlich bekommen er und Frau Elster zwei winzig kleine Regentropfen ab.

„Sehen Sie nun ein, dass ich recht habe", ruft Frau Elster triumphierend.

„Kreuzspinne und Kreuzschnabel", wundert sich Herr Fuchs. „So ein paar Tropfen machen doch noch keinen Regen!" Dabei gießt er weiter seine Blumen. Doch da ziehen plötzlich dicke schwarze Wolken auf und es beginnt tatsächlich zu regnen. Große Tropfen fallen vom Himmel und bald schon ist Herr Fuchs klatschnass. Jetzt muss er wohl doch einsehen, dass sich das Gießen heute nicht mehr lohnt. Gemeinsam mit Frau Elster eilt er in den Fuchsbau.

Dort holt er zwei Handtücher aus dem Schrank: eines für sich und eines für Frau Elster, die trotz ihres Schirms etwas nass geworden ist. Jetzt schnell abtrocknen, bevor sich noch jemand erkältet!

Dann setzt Herr Fuchs Teewasser auf und Frau Elster bringt ihren Schirm zum Trocknen ins Badezimmer.

Als Herr Fuchs mit dem frisch gebrühten Pfefferminztee aus der Küche kommt, stellt er die Tassen auf den Wohnzimmertisch und setzt sich Frau Elster gegenüber. Er gibt zwei Löffel Honig in seinen Tee und fragt versöhnlich:

„Möchten Sie auch etwas Honig, Elsterchen?"

„Sehr gern, mein Lieber", antwortet Frau Elster,

und er reicht ihr das Honigglas. Eine Weile schweigen beide. Doch dann muss Herr Fuchs plötzlich lachen und prustet laut los. Und da Lachen nun einmal ansteckend ist, kann auch Frau Elster nicht anders. Zum Glück ist der Streit nun verflogen!

Zwar kann es sich Frau Elster nicht verkneifen und meint zufrieden: „Lieber Herr Fuchs ... Ich habe Ihnen doch gleich gesagt, dass es heute noch regnet."

Doch Herr Fuchs lächelt nur milde und nimmt einen großen Schluck Pfefferminztee.

Obwohl Herr Fuchs manchmal ein richtiger Griesgram sein kann, liebt er es doch sehr, bunte Feste zu feiern. In diesem Jahr hat er seine Freunde und Nachbarn zu einer Faschingsparty eingeladen. Bis es losgehen kann, gibt es aber noch viel zu tun. Herr Fuchs muss seinen Bau gründlich putzen, um ihn dann zu schmücken. Doch allein, das weiß er, schafft er es nicht rechtzeitig. Wen kann er um Hilfe bitten? Natürlich, Frau Elster!

Frau Elster hilft gern beim Schmücken, denn sie ist eine Dame und Damen verstehen etwas von hübschen Dingen.

Aus der kleinen Abstellkammer sucht Herr Fuchs den Faschingsschmuck heraus. Girlanden sind vom letzten Jahr übrig geblieben; auch einige Luftschlangen sind noch da. Nur die Luftballons musste Herr Fuchs neu besorgen.

„Dort oben mache ich eine Girlande fest. Was meinen Sie?", fragt er Frau Elster, während er auf einem etwas wackeligen Klapphocker steht. „So, jetzt fehlen noch Luftschlangen und Luftballons." Auch die bindet Herr Fuchs an und Frau Elster hilft ihm dabei.

Während die beiden den Bau schmücken, fragt Frau Elster plötzlich: „Herr Fuchs, haben Sie eigentlich die Einladungen verschickt?"

„Aber die habe ich doch Ihnen gegeben", meint Herr Fuchs verwundert.

„Wie meinen Sie?", erwidert Frau Elster. „Davon weiß ich ja gar nichts."

„Aber freilich, Elsterchen! Als Sie zuletzt hier waren, habe ich die Einladungskarten extra auf den Tisch gelegt und Ihnen gesagt, dass Sie sie auf keinen Fall vergessen dürfen."

„Nein, mein Lieber, da lag nichts, ganz bestimmt", behauptet Frau Elster steif und fest.

„Kreuzspinne und Kreuzschnabel!" Herr Fuchs ist verärgert, denn jetzt weiß doch niemand von seinem Fest, also werden auch keine Gäste kommen. Was soll er denn jetzt machen? Die Feier sollte doch schon morgen stattfinden. Und er hatte sich extra ein brandneues Überraschungskostüm besorgt.

„Dann müssen wir die Party eben verschieben, lieber Herr Fuchs", schlägt Frau Elster vor.

„Aber das geht nicht. Fasching kann man doch nicht einfach verschieben", erwidert dieser ratlos. Da fällt ihm etwas ein: „Und wenn Sie die Gäste zu Hause besuchen und ihnen Bescheid geben? Sie können doch flink einen Rundflug machen!"

„Aber Herr Fuchs, bei diesem Regenwetter? Das schaffe ich nicht", antwortet Frau Elster.

„Dann müssen wir das Fest in diesem Jahr eben

ausfallen lassen", sagt Herr Fuchs traurig und schaut durch das Fenster in den grauen Regenhimmel.

Da ist plötzlich ein Kichern zu hören. Es kommt von Frau Elster, die sich vor Lachen kaum noch halten kann: „Aber mein lieber Herr Fuchs, ich habe doch nur einen Spaß mit Ihnen gemacht. Die Einladungen sind natürlich längst verschickt. Mauz und Hoppel, Frau Igel und Borstel und Hugo, der Dachs – alle haben schon zugesagt."

„Also Frau Elster, jetzt bin ich Ihnen glatt auf den Leim gegangen! Hassassass! Sie sind ja eine ... Person!", ruft Herr Fuchs erleichtert. Dann muss auch er lachen. Gemeinsam machen sie nun die letzte Girlande an der Decke fest. Der Fuchsbau sieht jetzt wirklich nach Fasching aus. „Nun kann das Fest beginnen", freut sich Herr Fuchs und blickt sich zufrieden um.

Und als am nächsten Tag die Gäste kommen, staunen alle, wie Herr Fuchs es geschafft hat, seinen Bau in solch einen prächtigen Faschingssaal zu verwandeln.

Herr Fuchs aber bleibt bescheiden, denn er weiß, dass er es ohne die Hilfe von Frau Elster bestimmt nicht geschafft hätte.

Der Sommer neigt sich seinem Ende zu. Die Sonne strahlt noch einmal mit allerletzter Kraft, als Herr Fuchs und Frau Elster sich im Garten treffen. Das Gemüse steht in vollem Saft. ‚Erntezeit!', denkt sich Herr Fuchs und meint stolz: „Mein Salat, meine wunderbaren Möhren, meine schönen roten Tomaten! Nirgends gibt es so prächtiges Gemüse wie auf meinen Beeten! Sehen Sie nur, Frau Elster, wie mein Gemüse in diesem Jahr gewachsen ist. So etwas bekommen Sie nicht zu kaufen. Das ist ausgezeichnete Gärtnerqualität."

Frau Elster räuspert sich: „Also Herr Fuchs, geben Sie doch bloß nicht so an. Wir hatten einen sonnigen Sommer. Nur deshalb ist das Gemüse so groß."

Nun ist Herr Fuchs in seinem Gärtnerstolz verletzt: „Hassassas! Sie sind ja nur neidisch. Jeden Tag gieße ich die Pflanzen und bringe frischen Dünger auf die Beete. Kommen Sie und helfen Sie mir lieber." Dabei zupft er eine Möhre nach der anderen heraus.

Das wiederum empört Frau Elster: „Aber Herr Fuchs, wo denken Sie hin, da mache ich mich ja schmutzig!"

Herr Fuchs wundert sich: „Sie können sich doch wieder sauber machen. Bei mir im Bau gibt es auch eine Schürze, die können

Sie anziehen, wenn Sie Angst um ihr kostbares Gefieder haben."

„Ach nein, Herr Fuchs, ich bin eigentlich keine Gärtnerin", gibt Frau Elster jetzt kleinlaut zu. „Ich sehe lieber zu, wie Sie das Gemüse ernten."

„Ach, Elsterchen ... Helfen Sie mir doch wenigstens ein bisschen, dann geht es viel schneller und ich kann heute Abend noch meine Zeitung lesen."

„Nein, nein. Auf gar keinen Fall!", antwortet sie entschieden.

Da ist Herr Fuchs verärgert, denn er weiß, dass Frau Elster sehr gern Tomaten und Möhren isst. Und wenn er später einen Gemüseeintopf kocht, isst sie ganz bestimmt mit. Daher sagt er: „Frau Elster, was halten Sie davon: Wenn ich das Gemüse geerntet habe, putzen Sie es in der Küche und dann dürfen Sie es klein schneiden."

„Aber Herr Fuchs, Sie sind doch der Koch!", meint da Frau Elster und plustert sich wieder mächtig auf.

„Nein, heute kochen Sie! Ich ernte schließlich das Gemüse", bleibt er stur.

„Herr Fuchs, Sie irren sich! Wir ernten gemeinsam. Sehen Sie, hier habe ich eine Tomate gepflückt", behauptet Frau Elster, ohne mit der Wimper zu zucken. Dabei hält sie eine reife

Tomate in der Hand, die gerade vom Wagen gerollt ist und die sie unbemerkt aufgehoben hat.

„Also gut, wir waschen gemeinsam das Gemüse. Und dann schneide ich die Möhren und Sie die Tomaten. Einverstanden?", lenkt Herr Fuchs nun ein.

„Abgemacht, mein Lieber."

Später bringen sie das frische Gemüse in die Küche. Sofort beginnt Herr Fuchs, die Möhren zu waschen und zu schneiden. Frau Elster kümmert sich um die Tomaten. Bald schon zieht ein herrlicher Duft durch den Fuchsbau und beiden läuft das Wasser im Mund zusammen. Aber was sollen sie mit dem frischen Salat machen? Natürlich! Den gibt es – mit Öl, Salz, Pfeffer und Essig gewürzt – als Vorspeise. Beiden schmeckt es ganz ausgezeichnet.

Nach dem Essen räumt Frau Elster die Teller ab und macht den Abwasch. Nun ist Herr Fuchs gänzlich versöhnt, denn jetzt kann er genüsslich seine Zeitung lesen.

HERR FUCHS, DER KOCH

Herr Fuchs hat Frau Elster zum Essen eingeladen. Am Vormittag kauft er Kartoffeln auf dem Markt. Frisches Gemüse erntet er im eigenen Garten.

Bevor er mit dem Kochen beginnt, setzt er sich eine weiße Kochmütze auf und bindet eine Schürze um, damit sein Fell nicht schmutzig wird oder er sich gar seinen Pelz verbrüht. Damit sieht er aus wie ein richtiger Koch. Als Frau Elster zu Besuch kommt, ist sie sehr überrascht, denn so hat sie Herrn Fuchs noch nie gesehen.

Ein Messer, ein Brett zum Schneiden und ein Kartoffelschäler liegen schon bereit. Jetzt fehlt nur noch ein Behälter für die Kartoffelschalen. Frau Elster ist begeistert, dass Herr Fuchs alles so gut vorbereitet hat, und lobt ihren Gastgeber über den grünen Klee: „Gut gemacht, Herr Fuchs!"

Er hat einen kleinen Zettel auf den Tisch gelegt, auf dem genau steht, was als Nächstes zu tun ist. Immer wieder liest er sich den Zettel durch. Jetzt muss er das Wasser im Topf zum Kochen bringen. Das Feuer unter der Herdplatte brennt bereits. Er stellt den randvoll mit Wasser gefüllten Topf darauf.

Frau Elster möchte ihrem Freund gern Ratschläge geben: „Herr Fuchs, Sie müssen noch ... Herr Fuchs, Sie dürfen nicht ..."

Der aber will davon nichts hören und meint deshalb etwas unfreundlich: „Frau Elster, so halten Sie doch bitte den Schnabel! Das Kochen ist heute meine Angelegenheit."

Frau Elster schaut beleidigt: „Aber Herr Fuchs, ich möchte Ihnen doch nur helfen, damit Ihr Essen gelingt!"

„Ach, na schön", lenkt Herr Fuchs zähneknirschend ein. Als guter Gastgeber darf man seine Gäste schließlich nicht verärgern. „Dann waschen und schneiden Sie doch bitte das Gemüse, Frau Elster!"

„Na also. Sie werden schon sehen: Gemeinsam geht uns die Arbeit leicht von der Hand." Zufrieden geht Frau Elster ans Werk und hat das bunte Suppengemüse bald geputzt und klein geschnitten.

Das Suppenwasser kocht jetzt kräftig. Herr Fuchs gibt das geschnittene Gemüse zusammen mit einigen Scheiben Wurst vorsichtig hinein. Etwa eine halbe Stunde lang muss nun alles zusammen kochen.

„So, Elsterchen", meint Herr Fuchs zufrieden, „nun können wir uns etwas ausruhen."

„Was wird das eigentlich für eine Suppe?", fragt Frau Elster neugierig.

„Kartoffelsuppe, nach einem Rezept von Frau Igel", antwortet Herr Fuchs.

„Aber gehören dann nicht auch Kartoffeln in den Topf?" „Kreuzspinne und Kreuzschnabel! Die Kartoffeln!" Herr Fuchs fällt aus allen Wolken.

Schnell sieht er auf den Zettel, doch da steht kein Wort von Kartoffeln. „Aber Frau Igel hat bestimmt etwas von Kartoffeln gesagt!", erinnert sich Herr Fuchs. „Was machen wir denn jetzt?"

Nun nimmt Frau Elster die Sache in die Hand. „Wir brauchen etwa sieben große Kartoffeln. Die schälen wir jetzt rasch und schneiden sie in den Topf."

„Also gut, Elsterchen. Dann machen wir es so, wie Sie es für richtig halten." Im Nu sind die Kartoffeln geschnitten und wandern in den Topf. Frau Elster ist wirklich eine sehr erfahrene Köchin. Jetzt ist sie aber nicht mehr vom Herd wegzubewegen und Herr Fuchs muss einsehen, dass sie das Kommando übernommen hat. Doch das macht nichts, denn gerade hat er gelernt, dass zum Kochen auch etwas Erfahrung gehört. Frau Elster arbeitet sehr flink, schmeckt ab, würzt nach und schon bald ist die Suppe fertig.

Sie schmeckt wirklich hervorragend!

Herr Fuchs kann gar nicht aufhören, die Kochkünste von Frau Elster zu loben und Frau Elster lobt die Kochkünste des Herrn Fuchs. So gibt es an diesem Abend auch nicht den kleinsten Streit. Und das ist, wie Herr Fuchs und Frau Elster feststellen, eine ganz neue Erfahrung.

„Ach, wie schön ist das Leben am Sonntag!", freut sich Herr Fuchs, nachdem er es sich in seinem Liegestuhl bequem gemacht hat. „Diese Ruhe! Einfach herrlich." Da aber flattert Frau Elster aufgeregt durch das Gartentor und vorbei ist es mit der Sonntagsruhe.

„Aber Herr Fuchs, seit wann sind Sie denn solch ein Faulpelz?", fragt sie streng. „Der Vormittag ist gerade um und Sie haben schon Zeit zum Ausruhen?"

Herr Fuchs wundert sich: „Frau Elster, haben Sie das vergessen? Heute ist Sonntag, da kann ich ausruhen, so lange ich will!"

„Jetzt stehen Sie aber bitte auf!", fordert Frau Elster ungeduldig, doch Herr Fuchs bewegt sich keinen Zentimeter aus seinem Liegestuhl heraus: „Aber Elsterchen, ich liege gerade sooo gemütlich, die Sonne scheint und die Vögel singen mir ein Lied. Muss das ausgerechnet jetzt sein?"

„Herr Fuchs, Freunde helfen sich immer und sehen dabei nicht auf die Uhr oder den Wochentag."

„Aber was gibt es denn so Wichtiges, das nicht bis morgen warten kann?"

„Ich brauche Ihre Hilfe. Stellen Sie sich nur vor: Ich habe den Schlüssel zu meinem Elsternnest verloren. Nun komme ich

nicht mehr in mein Haus! Was soll ich nur tun?", fragt Frau Elster und klingt dabei ehrlich verzweifelt.

„Aber Elsterchen! Da hilft nur suchen, suchen, suchen!", meint Herr Fuchs beschwichtigend und lehnt sich wieder in seinen Liegestuhl zurück.

„Das hab ich! Den ganzen Vormittag habe ich gesucht, überall. Doch keine Spur von meinem Schlüssel. Es ist zum Federnraufen!"

„Nur die Ruhe, Frau Elster. Aufregung bringt uns auch nicht weiter." Herr Fuchs rappelt sich auf und stöhnt: „Hach, dann werd ich Ihnen wohl helfen müssen. Nicht, dass Sie heute noch auf meinem Sofa übernachten müssen ... So, nun überlegen Sie mal, Frau Elster: Wann haben Sie Ihren Schlüssel das letzte Mal gesehen?"

„Heute Morgen. Ich habe meine Eingangstür abgeschlossen, so wie immer eigentlich. Tja, dann wollte ich gerade losflattern, da habe ich unten am Stamm meiner alten Eiche Frau Igel gesehen, die vorbeispazierte. Na, und da bin ich ruck, zuck hinunter zu ihr, denn ich musste ihr ja unbedingt erzählen, was ich gestern beim Nachmittagstee von Frau Amsel und Frau Lerche erfahren habe: Ja, stellen Sie sich vor, Herr Fuchs, die Tochter von Meister Schwarzrock will demnächst heiraten! Ist das nicht entzückend? Eine richtige Vogelhochzeit hier bei uns im Märchenwald ..."

„Kreuzspinne und Kreuzschnabel!", unterbricht

Herr Fuchs den Redeschwall. „Frau Elster, Sie schweifen ab! Sie haben also abgeschlossen, und dann?"

„Habe ich den Schlüssel selbstverständlich in meine rote Tasche gesteckt, die übrigens sehr elegant ist, nicht wahr?"

„Frau Elster …"

„Ist ja schon gut. Dann habe ich meine Besorgungen gemacht, Herrn Uhu einen schönen Sonntag gewünscht, Meister Schwarzrock meine Hilfe bei den Hochzeitsvorbereitungen angeboten … Ja, wissen Sie, Herr Fuchs, so eine Hochzeitsfeier muss gut geplant werden und bedeutet viel Arbeit …"

„Frau Elster, nun ist es aber wirklich genug!"

„Entschuldigung, Sie haben ja recht. Tja, und als ich wieder zurück in mein Nest wollte, habe ich den Schlüssel in meiner Tasche nicht mehr gefunden. Dann bin ich den ganzen Weg noch einmal abgeflogen, doch umsonst! Und Sie wissen ja, so einen schönen, glänzenden Schlüssel hätte mein Elsterauge ganz sicher erspäht."

„Frau Elster, kann es sein, dass der Schlüssel seit heute Morgen in ihrer Haustür steckt?", meint der schlaue Herr Fuchs, der aufmerksam zugehört hatte.

Und tatsächlich: Frau Elster hatte ihn in ihrer Eile einfach steckengelassen. Hassassas!

33

Pausbäckig und saftig sind die Früchte am Apfelbaum von Herrn Fuchs. Jedes Jahr zu Herbstbeginn ist Erntezeit. Da nimmt sich Herr Fuchs zwei Nachmittage frei von allen Aufgaben, um seine geliebten Äpfel zu pflücken. Zunächst holt er die extralange Leiter aus dem Schuppen. Dann nimmt er den großen Henkelkorb zur Hand. In den passen besonders viele Äpfel hinein. Außerdem kann er ihn oben im Baum an einen Ast hängen – sehr praktisch!

Apfel für Apfel pflückt Herr Fuchs nun vom Baum in den Korb, bis dieser voll ist. Dann steigt Herr Fuchs von der Leiter, um die Früchte in flachen Holzkisten einzulagern. „Schön vorsichtig, Füchslein", spricht er dabei zu sich selbst. „Nur aufpassen, dass es keine Druckstellen gibt. Du willst doch auch im Winter noch von deinen herrlichen Äpfeln essen. Hassassas, so viele Äpfel wie dieses Jahr hat der Baum ja noch nie gehabt! Da könnte ich ruhig etwas Hilfe beim Ernten gebrauchen."

Gerade in diesem Augenblick kommt Frau Elster zur Gartentür herein: „Guten Tag, Herr Fuchs. Ah, ich sehe, Sie sind schon bei der Arbeit!"

„Aber ja, Elsterchen, wie haben Sie das nur erraten?", antwortet Herr Fuchs etwas gereizt.

„Prima, prima. Ich habe mir nämlich überlegt, dass Sie mir doch sicher ein paar von Ihren wunderschönen Äpfeln abgeben würden. Denn heute kommen Frau Igel und Borstel zu Besuch, da möchte ich einen leckeren Apfelkuchen machen und mit frischen Äpfeln schmeckt der am besten."

„Aber bitte, Sie dürfen sich gern welche pflücken", meint Herr Fuchs großzügig.

„Ach, mein Lieber, so viel Zeit habe ich nicht. Ich nehme einfach von denen hier", antwortet Frau Elster unbekümmert und zeigt dabei auf den gut gefüllten Henkelkorb, mit dem Herr Fuchs gerade vom Baum gestiegen ist.

„Typisch Frau Elster!", murmelt Herr Fuchs. „Sogar zum Pflücken ist sie sich zu fein!"

„Darf ich?", fragt Frau Elster, und ohne die Antwort abzuwarten, beginnt sie damit, sich die schönsten Äpfel auszusuchen.

„Ja ... nein ... ja ... nein", spricht sie mit sich selbst und sortiert dabei eifrig. So hat sie ihren Beutel bald bis zum Rand gefüllt und will sich verabschieden.

„Einen habe ich noch für Sie", sagt Herr Fuchs da listig und überreicht Frau Elster einen besonders großen Apfel.

Die bedankt sich artig und will ihn in

ihren Beutel stecken. Da fällt ihr Blick auf eine braune Stelle in der Apfelschale, aus deren matschiger Mitte eine dicke Made herausschaut.

„Aber Herr Fuchs, da ist ja ein Wurm drin!", ruft sie entsetzt.

„Ach, was Sie nicht sagen!" Scheinbar ungläubig sieht sich Herr Fuchs den Apfel näher an.

„Was machen Sie denn für Geschenke?", fragt Frau Elster empört.

„Aber Frau Elster, mögen Sie etwa keine Würmer? Ich dachte, die kommen Ihnen gerade recht?"

Nun ist Frau Elster beleidigt: „Aber Herr Fuchs, wo denken Sie hin, ich bin doch keine Amsel!"

„Dann lassen Sie den Apfel lieber hier und die anderen auch. Die könnten nämlich auch Würmer haben!" Dabei pflückt Herr Fuchs seelenruhig weiter seine Äpfel vom Baum.

„So ein Grobian!", ärgert sich Frau Elster. Doch dann meint sie freundlich: „Herr Fuchs, was halten Sie davon: Ich schicke Ihnen gleich Borstel, Mauz und Hoppel vorbei, die können Ihnen bei der Ernte zur Hand gehen. Und dann kommen Sie alle heute Nachmittag zum Tee ins Elsternnest. Es gibt frischen Apfelkuchen mit Schlagsahne." „Frau Elster, das ist die beste Idee seit Langem!", ruft Herr Fuchs begeistert. Schön, wenn man Freunde hat, auf die man sich immer verlassen kann.

Der Herbstwind pustet
die goldgelben Blätter von den Bäumen.
Wenn sie nicht aufgesammelt werden, wächst
daraus ein dicker, großer Haufen, unter dem das
Gras ganz braun wird. Deshalb treffen sich Herr Fuchs
und Frau Elster immer im Herbst, um die Wiese vor dem
Fuchsbau von den Blättern zu befreien.

Herr Fuchs ärgert sich, dass er dafür einen ganzen Tag opfern
muss. Viel lieber würde er eine Zeitung lesen oder einfach unter
einer warmen Decke in seinem Liegestuhl auf der Wiese sitzen.
Und der Rücken schmerzt ihn auch schon vom mühsamen Harken.
Deshalb denkt er angestrengt nach. Es muss doch eine Möglichkeit
geben, die Arbeit schneller zu erledigen! Der Wind rauscht, die Vögel
zwitschern, der alte Ahorn im Garten singt sein vertrautes Lied. Aber
Herrn Fuchs will einfach nichts einfallen! Am Himmel strahlt die
Herbstsonne mit letzter Kraft. Die Luft ist schon etwas kühl und
Herr Fuchs zieht seine alte Gärtnerschürze an. Doch noch immer
fällt ihm nichts ein!

Herr Fuchs mag diese milden Herbsttage, sie erinnern ihn an die
schönen Sommernachmittage, an Besuche von Freunden, an
ausgelassene Feiern und Grillabende. Ja, die Grillfeste fand er
immer besonders nett. Und da hat er plötzlich ganz deutlich ein

Gerät vor Augen, mit dem man das Feuer zum Grillen schürt: einen Blasebalg! „Damit kann ich doch das Laub befeuchten! Die Blätter werden so schwer, dass sie der Wind nicht mehr wegtragen kann. Dann können wir sie viel leichter aufsammeln", meint er begeistert. „Damit sind wir in Nullkommanichts fertig. Hä, hä, hä, Frau Elster wird vielleicht Augen machen!"

Heimlich, sodass es Frau Elster nicht merkt, holt er den Blasebalg aus dem Geräteschuppen. Einmal kräftig zusammengedrückt – „pff" – und aus der schmalen Vorderseite kommt ein kräftiger Luftstoß. „Scheint zu funktionieren", sagt sich Herr Fuchs zufrieden.

Als Frau Elster gerade die Harke zur Seite stellt, um eine Pause zu machen, will Herr Fuchs seine Idee heimlich ausprobieren. Er versucht, etwas Wasser anzusaugen, um es anschließend wieder herauszuspritzen.

Doch das Wasser will nicht so recht in den Blasebalg hineinströmen. „Kreuzspinne und Kreuzschnabel!", schimpft Herr Fuchs. Dabei war er doch so stolz auf seinen Einfall!

Er drückt die beiden Arme des Blasebalgs mehrmals hintereinander kräftig zusammen und presst dabei kurze Luftstöße heraus.

Da kommt Frau Elster zurück. Sie ist ganz verwundert, als sie Herrn Fuchs mit dem Blasebalg sieht. „Aber Herr Fuchs, was machen Sie da?", fragt sie neugierig.

„Hach, ich wollte das trockene Laub anfeuchten. Nass ist es schwerer und fliegt nicht mehr davon, wenn wir es zusammenharken wollen."

„Was für ein außergewöhnlicher Plan!", ruft Frau Elster entzückt. Herr Fuchs seufzt. „Ja, nur leider funktioniert er nicht", meint er enttäuscht.

Eigentlich ist Herr Fuchs ja weithin für seinen Erfindungsreichtum bekannt. Doch diesmal grübelt er umsonst. Sie scheinen um die beschwerliche Gartenarbeit nicht herumzukommen.

Da nimmt Frau Elster den Blasebalg zwischen die Flügel und drückt ihn kräftig zusammen. Der Luftstoß lässt die Blätter vor ihren Füßen tanzen. Sie drückt erneut und wieder und wieder. Auf diese Weise pustet sie die Blätter zu kleinen Häufchen zusammen. Herr Fuchs schnappt sich die Harke und zieht flink alles zu einem großen Haufen zusammen. „Großartig, Elsterchen!", freut er sich. „Ich denke, so sind wir auch schneller fertig. Und mehr Spaß macht es allemal!"

„Ja, und wenn wir gleich die Geräte tauschen, schonen wir auch Ihren Rücken, mein Lieber!"

Am Ende haben sie die Arbeit doppelt so schnell geschafft und Herrn Fuchs bleibt noch genügend Zeit, um sich auszuruhen.

Es ist Winter im Märchen-
wald. In den letzten Tagen ist eine Menge
Schnee gefallen. Die Tannenzweige biegen sich
unter der Last, und ab und zu rieselt Schnee von den
Tannenspitzen. Im Fuchsbau knistert das Kaminfeuer.
Herr Fuchs hat sich auf seinem Sofa niedergelassen, um
Zeitung zu lesen. Dabei nimmt er einen tiefen Zug aus seiner
Pfeife. So behaglich lässt sich der Winter doch gut aushalten!
Von Zeit zu Zeit steht er auf, um nach dem Feuer zu sehen.
Ein Kaminfeuer brennt nämlich nicht von allein, man muss es
immer wieder schüren. Herr Fuchs legt drei große Holzstücke nach
und will gerade nach dem vierten greifen, als er bemerkt, dass kein
einziges mehr im Korb ist. „Kreuzspinne und Kreuzschnabel!", ruft
er ärgerlich. Hat er doch tatsächlich vergessen, Brennholz zu holen!
Später will Frau Elster zu Besuch kommen und Herrn Fuchs wäre es
sehr unangenehm, wenn sie bei ihm zu Hause frieren müsste. „Wie
konnte ich das nur vergessen?", schimpft er vor sich hin.
Draußen fallen nun wieder große Flocken vom Himmel. In diesem
Moment läutet es einmal an der Tür und gleich noch ein zweites
Mal. „Hassassas, da ist Frau Elster ja schon!", murmelt Herr Fuchs
erschrocken und eilt zur Tür. Bevor es noch ein drittes Mal
läuten kann, öffnet er. Frau Elster fällt gleich mit der Tür ins

Haus: „Bei Ihnen ist es aber angenehm warm, mein Lieber. Wollen Sie mich nicht hereinbitten?"

„Aber sicher doch, Frau Elster", antwortet Herr Fuchs stotternd. „So nehmen Sie mir doch den Mantel ab, Sie Dreiviertelkavalier! ... Ah, da ist ja der versprochene Streuselkuchen. Aber ich sehe gar keinen Tee. Ich bin doch nicht etwa zu früh gekommen?", fragt Frau Elster und blickt auf die alte Kuckucksuhr in der Wohnstube. „Was ist denn mit Ihnen los?", fragt sie weiter, denn ihr ist aufgefallen, dass Herr Fuchs sich heute irgendwie seltsam verhält.

„Aber, Elsterchen, keineswegs ...", meint Herr Fuchs, doch Frau Elster ist schon unterwegs in die Küche, um Teewasser anzusetzen. „So reichen Sie mir doch etwas Holz, Herr Fuchs, in Ihrem Herd brennt ja gar kein Feuer mehr!"

„Das muss ich Ihnen erklären, Frau Elster. Das ist nämlich so ..." Und Herr Fuchs berichtet nun von seinem Missgeschick. Doch Frau Elster ist keineswegs verärgert. Sie kennt Herrn Fuchs schon sehr lange und weiß außerdem, dass ein jeder mal etwas Wichtiges vergessen kann. Nachsichtig sagt sie: „Ach, machen Sie sich keine Sorgen. Ich weiß, was wir da machen können. Wir gehen jetzt gemeinsam in den Wald und holen neues Holz."

„Ja, und das Schneegestöber? Haben Sie denn keine Angst,

dass Ihnen bei diesem Wetter das Gefieder festfriert?", fragt Herr Fuchs überrascht.

„Ach, papperlapapp! Bewegung an der frischen Luft ist eine gute Abwechslung und außerdem richtig gesund!"

Herr Fuchs nickt zustimmend: „Sie haben ganz recht, Frau Elster, richtig gesund ist das."

Als beide warm angezogen sind, holt Herr Fuchs den alten Schlitten aus dem Schuppen. Der ist schon etwas ramponiert, aber als Lastschlitten bestens geeignet. So ziehen sie nun in Richtung Waldrand, wo Herr Fuchs sein Holz lagert. Der Schneeflockenwirbel ist in der Zwischenzeit weniger geworden, bis er sogar ganz aufhört. Beide packen tüchtig mit an und stapeln die Holzscheite auf den Schlitten. Schnell sind sie mit der Arbeit fertig und Herr Fuchs zieht den nun schwer beladenen Schlitten nach Hause. Ab und zu muss Frau Elster schieben, wenn sie im Tiefschnee stecken bleiben. Zu Hause hackt Herr Fuchs mit wenigen geübten Schlägen seiner Axt das Holz so klein, dass es genau in den Ofen passt. So beginnt das Feuer bald wieder zu knistern. Herr Fuchs und Frau Elster sitzen nebeneinander auf dem Sofa und trinken leckeren Hagebuttentee. Den Streuselkuchen dazu haben sie sich redlich verdient.